郑栗儿/著
冉绫珮/绘

大师密码 A-Z系列

大师密码U

懒惰大米袋

人民东方出版传媒
People's Oriental Publishing & Media
東方出版社
The Oriental Press

图书在版编目（CIP）数据

大师密码. U, 懒惰大米袋 / 郑栗儿著 ; 冉绫珮绘. —北京 : 东方出版社, 2015.11

ISBN 978-7-5060-8745-2

Ⅰ. ①大… Ⅱ. ①郑… ②冉… Ⅲ. ①儿童故事—作品集—中国—当代 Ⅳ. ① I287.5

中国版本图书馆 CIP 数据核字（2015）第 267153 号

本书由台湾东初文化事业股份有限公司独家授权
中文简体字版专有权属东方出版社
著作权合同登记号 图字：01-2014-7441 号

大师密码 U：懒惰大米袋
（DASHI MIMA U: LANDUO DAMIDAI）

作　　者：郑栗儿
绘　　者：冉绫珮
产品经理：张嫒嫒
责任编辑：张嫒嫒
出　　版：东方出版社
发　　行：人民东方出版传媒有限公司
地　　址：北京市东城区朝阳门内大街 166 号
邮政编码：100706
印　　刷：小森印刷（北京）有限公司
版　　次：2016 年 3 月第 1 版
印　　次：2016 年 3 月第 1 次印刷
印　　数：1—5 000 册
开　　本：720 毫米 ×950 毫米 1/16
印　　张：5
字　　数：48 千字
书　　号：ISBN 978-7-5060-8745-2
定　　价：18.00 元
发行电话：（010）64258117 64258115 64258112

目 录

出版前言

每个父母都希望孩子未来能出类拔萃，并在孩子的教育问题上倾尽心力。

许多孩子长大后成熟乐观，在社会上如鱼得水，但不少人成年后并不快乐。他们即使地位显赫、经济条件优越，依然郁郁寡欢。带来快乐的因素有很多，其中起决定作用的则是人格。面对同样的问题，不同的人格往往造就不同的结果。

怎样才能培养健全的人格？我们不妨到传统文化中去寻找答案。几千年来，儒、道、佛相得益彰，共同塑造着国人的精神世界。儒家关切社会的治理，道家关怀生命自然状态的保持，而佛家则关心人生痛苦的解除。故此，历史上就有“儒家治世、道家治身、佛家治心”的说法。

今天很多人习惯于将佛教简单理解为一种宗教，有的人甚至认为它是封建迷信。如果去掉宗教的外衣，它其实是一座充满智慧，兼具心理、品德教育功能的文化宝库。

为此，我们从台湾引进了这套“大师密码”A–Z系列。这套书以130个佛教大师的成长故事，体现了130个美好的人格特质。沉着、孝顺、无畏、远见……从这些有趣的故事里，孩子们不但可以学会如何获得成功，更能明白如何倾听内心的声音，获得快乐。

这套书结构编排巧妙，集合了台湾优秀的作家及插画师。书中故事生动活泼，插画精美，在台湾广受好评，曾获得台湾“第27次中小学生优良课外读物推介”。相信它同样会得到大陆青少年朋友的喜爱。

推荐序

大师的密码　成功的特质

在我还是青少年时，就很喜欢阅读佛教大师的传记故事。可以说，我的人格就是从阅读大师的史传故事，点点滴滴建立起来的。

不论大人、小孩都喜欢读故事，法鼓文化历时两年的筹备，制作了这套有丰富精美插画的“大师密码”A–Z系列。这套书中，选出130个“大师的美好特质”，一个特质就是一个大师故事，让孩子在趣味的故事中自然吸收大师的养分。

我曾指出佛教的高僧必须具有四大条件：持戒清净、修行精进、慈悲济众与护持佛法；如果转换成现代人的语汇，就是自律、认真、宽大、懂得回馈，而这些正是所有成功人士必备的条件。

很多家长以为孩子学佛会变得消极、不具竞争力；如果从大师的四大条件来看，这样的想法完全错误！孩子接触佛法绝对会更积极、健康，能为他们的一生奠定稳固的基础。

大师们的成就绝非偶然，也没有人一出生就是大师，父母应该提供这样的环境，让人格正在成长形塑中的孩子，吸收历代大师们的生命菁华，转化为他们自己的。我相信这一套“大师密码”A–Z系列，能够成为孩子们成长的助缘！

聖嚴

台湾法鼓山禅修文教体系创办人

懒惰大米袋

大师密码

Useful 有用的

吃饭、睡觉与上厕所，是每个人每天一定要做的事，如果整天只做这些事，一定会被骂是个好吃懒做的懒惰鬼。以佛学研究驰名古今中外的印度那烂陀大学，就有一个只会吃饭、睡觉、上厕所的寂天僧人，被众僧嘲笑为“三德和尚”，大家都以他为耻，想尽办法要把他赶出校门。

但大家看到的只是寂天表面上的懒散而已，全然不知他已全神投入内观的修行里，因此无暇分神外在的生活世界。没人晓得他其实是大有来头的“寂铠甲”王子，会自动放弃王位出家的人，怎么可能只会贪图吃喝享受呢？！

直到他在一次活动中，滔滔不绝地诵出大众前所未闻的《入菩萨行论》，从此消失不见后，大家才知道寂天是一个真正的大修行者，但已后悔莫及了！

小档案 寂天

- 国籍：印度
- 别称：三德和尚
- 专长：研究经论、睡觉
- 影响：为重要的佛教思想家
- 事迹：在南印度各地行侠仗义救灾

月亮圆得像一枚发亮的金币，月光照在睡着的印度小王子纯洁的脸上，一个温柔的声音轻轻响起："寂天！我是度母❶。"

寂天揉揉眼睛，看见一位美丽的仙女："度母，你找我做什么呢？"

度母疼惜地对他说："王宫的生活表面上华丽享受，却常常身不由己，我担心你现在贵为王子，将来继承王位后，会更加痛苦，你将被权势所束缚，而无法自由。"

❶ **度母**：全称圣救度佛母，又称多罗菩萨、多罗观音，共有二十一尊，都是观世音菩萨的化身。

寂天率真地说：“那我不当国王就好啦！”

度母一听转忧为喜：“真的？好，那你答应我不当国王，专心求道，做个真正有用的人。”

寂天点点头后，度母随即消失了，早晨的公鸡正巧鸣叫起来，把寂天唤醒了，他才知道自己做了一场梦。但寂天毕竟年纪还小，没过多久，就把这场梦抛到脑后去了。

几年后，长大的寂天就要登基为王了，在加冕大典的前夕，寂天又做了一个梦，这一次现身的是文殊师利菩萨[2]：“寂天，你忘了对度母的承诺吗？”

[2] **文殊师利菩萨**：为中国佛教四大菩萨之一，由于智慧深广，被尊称“大智文殊”。文殊菩萨骑狮子，象征他的威猛，与普贤菩萨同为释迦如来左右侍者。

寂天赶紧说：“什么承诺呢？”

文殊师利菩萨回答：“你答应放弃王位，去当一名僧人！”

文殊师利菩萨的声音像钟一样响亮，震得寂天整个人都醒了，他顿时看透了一切，毅然放弃了王位，到森林里去修行，后来他成为那烂陀大学的一名僧人。

但他在那烂陀大学中，以行径奇特出名，被称为“三德和尚”。

“我猜那个三德和尚一定又躲在屋子里睡大觉了！”

马上要进行一场讲经法会，几个年轻僧人边走边猜寂天待会儿会不会出现，其中一名新来的和尚疑惑地问：“谁是三德和尚啊？这么厉害，他有哪三德呢？”

僧人们笑了起来，嘲讽地回说：“第一德是吃饭，第二德是睡觉，第三德是上厕所，除了这三件事之外，什么事都不做的三德和尚，就是我们那烂陀最懒惰、最没用的大米袋——寂天。”

一群人来到经院里，果然不见寂天的踪影，有人故意说：“没关系！等一下吃饭时就会见到他了。”这番话引起众人的哄堂大笑。在那烂陀大学，寂天总是把自己关在屋子里，不和大家往来，一天却要吃五餐，这是众所周知的事。

“真希望能把这个懒惰、没用的人赶出去，免得有损我们那烂陀的声誉。”在场的人都点头同意了。

“有一个好办法。”一群人窃窃私语着，想出一个要寂天自动离开的妙招，那就是每一个人都要在所有僧人面前，背诵一部完整的经论，他们认为懒惰的寂天一定做不到，到时就会羞愧地自动离开。

吃饭时间一到，寂天果真准时出现在餐厅里，却被众僧围在门口：“寂天，刚刚我们讨论过了！每一个出家人在下周法会时，都得背出一部完整的经典，否则——”

不等对方说完，寂天立刻爽快答应了：“好啊！”所有人听了都吓了一跳。

“不过——”众人以为他要打退堂鼓，一脸紧张的神情：“你们要为我准备一张高大的法座。”大家听后松了一口气。

“好啊！那没有什么问题。”每个人心底暗笑：“那只会让你更加出丑而已。”

法会举行的这一天，现场早已是人山人海，那烂陀的全体学生都跑来凑热闹，看懒惰的大米袋如何说法，连教授们也挤在前方。

寂天就像一位尊贵的帝王，自信地坐上法座，接着以嘹亮的声音问底下的听众：“你们是要听以前学过的经论，还是这世界上从未听过的经论呢？”

大家异口同声说：“要听没听过的经论！”其实，他们只是等着看笑话，根本不相信寂天能讲得出来。

寂天点点头，开始以优美的声音唱诵出他伟大的即兴作品《入菩萨行论》❸，当他一开口，众人随即被他连串的妙语给震撼了！寂天没有停顿，犹如吟唱一首长歌一般，抑扬顿挫地道出最深奥的偈句。当说到“一切如虚空”时，寂天的身体竟然跟着腾空飞起来，然后消失在空中，而空中还清晰地传来他的声音，宣读着最后一品。

此时在座的每一个人，早已赞叹连连，现在他们才知道，原来寂天是一位已经证悟的大师，而不是好吃懒做没用的人。

❸《**入菩萨行论**》：为印度论师寂天的代表作，内容介绍菩提心与六波罗蜜，强调菩萨的律仪行谊。

但寂天知道身份一曝光，就表示他和那烂陀的缘分已经结束，便主动离开了那烂陀，前往南印度弘法。

那些曾经嘲笑他的僧人，十分后悔自己愚蠢的行为，但已找不到寂天。为了忏罪，便把寂天这一次的开示写下来，成为佛教菩萨道修持的最佳指南《入菩萨行论》。

后来，寂天一身乞丐装扮，以捡拾人们的残食为生，掩盖他曾经身为王子、高僧的锋芒，悄悄行走于南印度各地，解救许多人的苦难。像与狂傲到想毁灭佛教的宗教师举行辩论，帮助饥荒中快饿死的一千个乞丐……，但他只要被人们发现了真实身份，便会如风一般疾去无踪。

寂天仿佛以他的义行，让人们明白一个真正有用的人，重要的不在于自己能否成名，而是能不能真正帮助到需要帮助的人。一如空寂的天空般自在，需要雨水就下雨，需要阳光就放晴。

他是我的好兄弟

大师密码 United 团结

无著与世亲这一对兄弟生于北印度的婆罗门家，原本应与当国师的父亲一样继承家学，成为婆罗门，但他们后来双双出家成为了佛教僧人。

兄弟两人同样对研究佛学具有浓厚兴趣，最初都是学习小乘佛法的教义，但是哥哥无著觉得所学不足，直到学习到大乘佛法，觉得自利、利他的宽广大乘佛法，才是他要行走的真正道路。可惜弟弟世亲并不能领会哥哥的心，对哥哥心生误解，经常对人说哥哥的不是。无著不怕世亲的嘲讽，但却遗憾弟弟对大乘佛教的误解，因此心生妙计让弟弟在不知情的情况下，直接听受大乘佛教的妙法。

世亲在听法后果然心生惭愧，从此转向大乘佛教，不但成为哥哥的最佳弘法拍档，还被尊为“千部论师”。

小档案 无著与世亲

- 国籍：印度
- 专长：佛学研究
- 影响：同为印度大乘佛教瑜伽行派创始人
- 事迹：兄弟共同弘扬佛法

在古印度北方有一个小国家，这个国家盛开着洁白的香花，让人闻了非常愉悦。

一位美丽的印度女人穿着华丽的贵族服饰，来到纯洁的白色花海中，跪在地上静静祈求：“敬爱的佛陀，在您涅槃后九百年来，印度佛教经历了三次劫难，佛教衰微，世间变得更加黑暗，请让我生下能够振兴佛教的男孩，让佛光再照人间。”

她的虔诚得到了感应，后来她果然生下了一对杰出的兄弟。哥哥叫无著，弟弟叫世亲，一个敦厚稳重，一个活泼机敏，两人都非常聪慧，不管读书、骑马、射箭，样样都行。正因为同样优秀，彼此间虽然相亲相爱，却难免暗中较劲。

母亲在孩子们长大成人时，把他们唤到面前：“其实，我不是为了你们父亲的事业才生下你们的，而是不忍心看到佛教毁灭，希望你们两兄弟能够团结，好好勤奋修行，一起振兴佛教。”

于是，哥哥无著到鸡爪山修学大乘法门。但他学了三年后，并没什么成绩，便心生倦怠准备放弃。下山路上遇见一位老妇人正拿着铁杵要把它磨成针。无著受到启发，回到山上又学了三年，但还是没有结果，便又想放弃回家了！

途中他遇到一场大雷雨，雨大得竟然能穿透石头。无著心生惭愧，再度回到山上又修了三年，仍然不得要领，他又心生动摇，想要放弃。

一次偶然看见雏鸟的羽毛布满整个山谷，他感叹到：“这些雏鸟一定练习飞翔很久，才能这样满天飞羽。”

他本想第三度放弃的，但因为看见鸟羽，便再度发奋。可惜，时间飞逝过了三年后，还是没有任何进展。

历经十二年，彻底失望的无著这次铁了心一定要离开，忽然一只受伤的母狗倒卧路旁，身上的伤口还长着蛆虫，无著看母狗痛苦的模样，心生怜悯，但又不忍心杀死蛆虫，就割下身上的一块肉喂蛆虫，让母狗也可以存活。这时，母狗和蛆虫都不见了，却出现了弥勒菩萨❶对他说："因为你的慈悲心，你已经得道了！"

无著回过神来，望着空寂的鸡爪山，心生无限喜悦，他决定哪里也不去，专心在山上著作大乘经论。

❶ **弥勒菩萨**：又名慈氏，是释迦如来座下的八大菩萨之一，也是唯识法门的代表菩萨。是继释迦牟尼佛之后，未来娑婆世界的教主。

当无著在鸡爪山时，弟弟世亲则跟随著名的聚贤大师学习小乘[2]法门。以他的聪明资质，不但很快就领悟了禅法，而且对所有的小乘经论都能融会贯通，甚至四处讲学，成为小乘法门的佼佼者。

这时，世亲得知无著正在著作大乘[3]论著，从小爱和哥哥比赛的他，忍不住嘲笑哥哥说：“我哥哥住在山里十二年，没有修成禅定[4]，还写什么大乘经论，真是笑死人了！”

❷ **小乘**：是相对于“大乘”佛教而说的，又称声闻乘。教义以自求解脱为目标，异于大乘自利、利他二者兼顾的菩萨道。

❸ **大乘**：大乘佛教以救度众生为目的，不以自得解脱为目标，就像是容量大的交通工具般乘载众人。

❹ **禅定**：令心专注于某一对象，达到不散乱的状态。较深的禅定可以让身心安乐、寂静，并超越各种烦恼障碍。

世亲嘲笑哥哥的事很快传到无著耳朵里，无著却不生气，他的弟子却气得半死说：“师父，您弟弟竟敢这样批评您，您难道不生气吗？”

无著表情凝重地回答："我们两兄弟从小竞争惯了，我无所谓，只是怕他因毁谤大乘法门，造下无心之罪。有什么办法可以让他也能了解大乘法门的珍贵呢？"

弟子顺口说："听说世亲马上要去邻国弘法。"

无著一听，想到一个好主意，他跟弟子耳语一番，弟子边听边点头答应，不一会儿就急忙下山，赶往世亲赴邻国必经的寺院，在那里等待世亲的到来。

不久，世亲果然来到这座寺院休息，准备天亮后再出发。

夜幕很快降临了，世亲躺到床上，正要睡觉时，窗外却忽然传来一阵阵悦耳的诵经声，世亲竖起耳朵仔细聆听，愈听愈觉得这前所未闻的佛法，非常奇妙难得，忍不住起床继续听着，内心大受感悟。

等全部经文诵完后，世亲对着窗外说：“请问，为我诵此宝贵佛法的人是谁呢？请受我一拜！”

无著的弟子出现在窗外，向他一鞠躬：“你听的法就是大乘佛法。”

世亲脸色大变，对自己过去一直毁谤大乘佛法的行为，感到懊悔不已：“我犯了毁谤佛法的罪行，应该要割掉舌头才足以忏罪。”

无著的弟子却劝他说：“请你别这么做，如果你想要彻底忏罪的话，去找你的哥哥，他有好办法。”

世亲听了他的话，跑到山上去见无著，兄弟俩十多年没见，无著看起来比以前更成熟，更多了慈爱和蔼的神情，世亲知道哥哥的内涵已经超越自己，但奇怪的是，虽然如此，世亲的心底却连一点儿比较的心理都没有了。

世亲跪在地上向无著认错：“哥哥，我真是一个愚昧且自以为是的人，请您原谅我。”

无著拉起弟弟，对他说："你哪里是愚昧的人，你可是五百年来难得的大智者，具有最高的智慧呢！"

世亲更加惭愧地说："哥哥您别这么说，我如果有智慧的话，就不会毁谤大乘佛法，我不知道怎样消除我的罪孽，请您告诉我吧！"

无著回答："你还记得母亲以前的叮嘱吗？"世亲点头。

无著说："母亲要我们团结，一起振兴佛教，这个任务只靠我一人是无法完成的。所以，我们一定要同心协力弘扬大乘法门，这才是你最好的忏罪方法。"

世亲听完，泪流满面地说："请您教我大乘佛法吧！我一定会认真学习，不辜负母亲的教诲。"

从此，世亲对无著更加尊敬，他跟无著学习大乘佛法，不但费心研习，还撰写了无数优美的大乘论著，无论在印度任何偏远的国家，只要有人愿意学习，他和哥哥都会亲自去教导。

后来世亲分别写下五百部小乘、大乘的经论，被尊为“千部论主”，而无著在世一百五十年，也利益了无数众生。

小哑巴说话了!

大师密码

Understanding 善解人意

中国夏朝“少康中兴”的故事脍炙人口，是一位最佳的励志典范人物。在中国唐代的佛教故事里，也有这样一位中兴念佛法门的大师，法号恰巧也是“少康”。

由于他从没开口说过话，所以全家人都以为他是个天生的小哑巴。想不到他七岁随母亲到寺院礼佛时，竟然就开口说话了，而且还认得出佛陀的法像。尽管少康才七岁，父母便让有佛缘的他留在寺院里，十五岁时，正式成为受戒圆满的出家人。

少康因为深受善导大师《西方化导文》的启发，所以发愿学习净土法门，希望自己能住在阿弥陀佛的极乐世界里。从此，他不但自己用功念佛，也教大家念佛，让大家体会到念佛的快乐。也因为他的努力，念佛法门渐渐普及到偏远地带。

小档案 少康

- 国籍：中国
- 别称：台岩法师
- 专长：念佛
- 影响：净土宗五祖
- 事迹：以巧妙方法，教会新定的人们念佛

“医生，请看看我这孩子，都已经七岁了，怎么连一句话也不会说？”一名忧心忡忡的母亲带着孩子来让医生看病，不知已经看了几个医生了，也不知吃了多少副药，但孩子就是不能开口说话。

老医师认真地给孩子把脉，再看看他的喉咙，说：“跟正常人没两样啊！看不出有什么毛病，你再耐心教教他吧！”

母亲含着眼泪诉苦说：“怎会没教他呢！我生这孩子前，梦见仙女送我一朵青莲花，说我会生下贵子，算命师也说他是将相之才，没想到竟然是个哑巴。”

老医师安慰她说："你别灰心，我看这孩子确实是挺特别的，不如去佛寺祈求菩萨保佑吧！"

母亲点点头："这孩子真的很特别，虽然不会说话，却很了解别人的心意，会主动帮助别人。"

付了看诊费，母亲转头对儿子说："少康，我们走吧！"

走出诊所，少康让母亲牵着手，安静地看着嘈杂的市街，穿梭而过的人们和周遭事物像一幕戏般，在眼前演出。少康浅浅一笑，母亲的烦恼似乎对他一点儿影响都没有，他还是活在无语的世界中。

往前就是灵山寺了，母亲抱起少康踏进佛殿，一座巨大安详的释迦牟尼佛像矗立面前，母亲放下他，要他一起跪下，顺口问一句：“你知道这是谁吗？”

原本母亲接着要说出答案，可没想到奇迹出现了，少康稚嫩的小脸庞，转向母亲，冒出他生平的第一句话：“释迦牟尼佛！”

母亲整个人都呆住了，那甜美的童音是自己孩子所发出的吗？她难以置信地问：“你——你再说一遍。”

少康再次回答：“释迦牟尼佛！”

说完，还面朝佛像，恭恭敬敬地顶了一个礼，他的行为引起身旁所有人的注目。就这样，少康会说话了！

母亲知道这孩子与佛有缘，十五岁时就同意让他出家了，这时少康已经可以背诵出五部经典，后来他又游学各方，来到洛阳的白马寺。

“咦！那本佛典怎么会发光呢？”

原本虔心礼佛的少康，看见大殿旁的一本佛书闪闪发亮，便好奇地上前仔细察看：“《西方化导文》是净土宗❶的善导❷大师所写的。”

少康遇上吉兆，便暗自许愿默祷：“如果我和净土有缘，就让这本佛书再放光明吧！”

说也奇怪，太阳的光芒这时正好移过来，整面文字都闪烁着金光，少康既惊又喜，赶紧在佛前立誓：“从今以后，我将专修净土法门，绝对不变。”

❶ **净土宗**：又称莲宗，以往生西方阿弥陀佛净土为目标的佛教宗派。

❷ **善导**：唐代僧人，号终南大师，为净土宗三祖。

后来，少康就以善导大师为榜样，他还前去长安光明寺追悼善导的遗像，当他在顶礼观想时，忽然脑子里出现一段话："你如果依我的教法，让众生都能念佛求安乐，以后一定能往生西方极乐净土。"

少康睁开眼一看，眼前的善导遗像似乎正对他微笑，使他更增加了念佛的信心。

"各位，你们死后想不想前往一个美丽的地方生活？那里的楼阁和街道都铺着金银琉璃，清澈的池水中有发光的大朵莲花，天乐不时响起，还有各种奇妙杂色的鸟早晚歌唱。"少康轻声细语地问着底下的男女老少信众。

这么美的地方，吸引了所有的人一致回答："想！"

少康善解人意地又说："好！那有一个方法非常简单，只要念一句佛号，就能往生极乐净土。你们愿不愿意学？"众人一听这么容易，纷纷点头答应。

少康继续说："从现在起，你们每天专心持诵阿弥陀佛，死后阿弥陀佛就会亲自送你们去他的佛国。"现场出现一阵宛如潮水的阿弥陀佛佛号声。

就这样，凡是少康走过的地方，就有念佛的声音，许多人受到他的感化，都跟着念起佛来。

但不是每一个地方都这么容易教化，有一天，少康得到一位法师的指引：“新定这地方的老百姓对净土的教义不了解，教化起来非常困难，你应该去那里试试看。”

于是，少康来到新定，问起路上经过的每一个人：“你知道西方极乐净土吗？”大家都摇头离去，更别说有人会知道阿弥陀佛了。

少康发挥自己了解人心的特长，想到了一个好办法，只见他带着钵到城里最热闹的市区，找个人来人往的必经之地站稳后，就把钵放在手中，开始化缘，嘴里喃喃诵念阿弥陀佛佛号。

不久，他的钵里已经累积了一些钱，街上几位儿童正在玩游戏，他把孩子们都叫过来：“孩子们，你们要不要赚钱啊？”

一听到有钱可赚，一群孩子蜂拥而上，围绕在少康身旁，少康将钵里的钱拿出来，一人分一文钱后说：“你们念一声‘阿弥陀佛’，就可以得到一文钱。”

“这么好赚，那我一天念一百声。”一名较大的孩子调皮地说。

少康点头回答：“可以，不过你要专心地念、大声地念，不能马虎！”

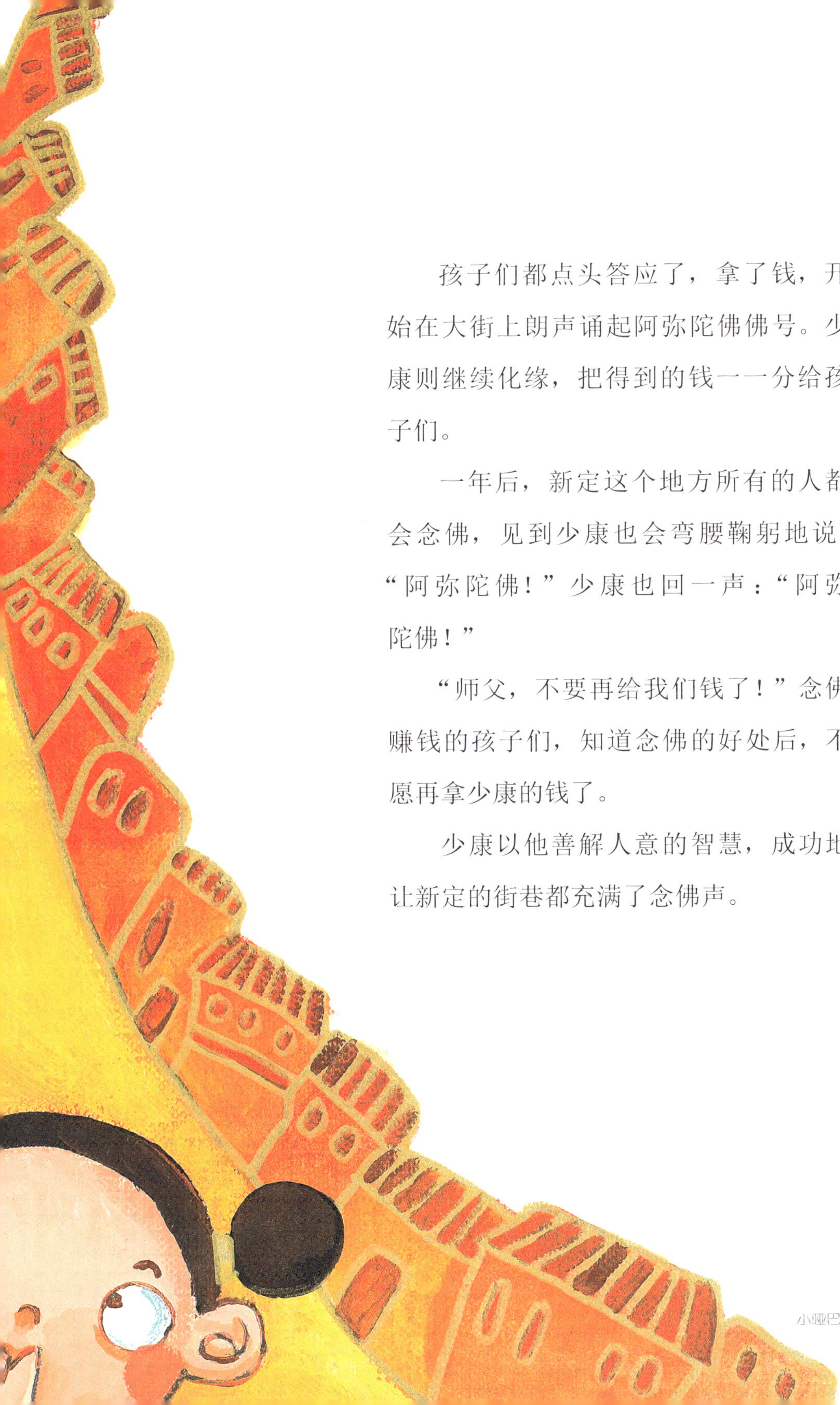

孩子们都点头答应了，拿了钱，开始在大街上朗声诵起阿弥陀佛佛号。少康则继续化缘，把得到的钱一一分给孩子们。

一年后，新定这个地方所有的人都会念佛，见到少康也会弯腰鞠躬地说：“阿弥陀佛！”少康也回一声：“阿弥陀佛！”

“师父，不要再给我们钱了！”念佛赚钱的孩子们，知道念佛的好处后，不愿再拿少康的钱了。

少康以他善解人意的智慧，成功地让新定的街巷都充满了念佛声。

是茶还是禅？

大师密码 Unique 独一无二

生于日本镰仓时期的荣西禅师，父亲是吉备津神社的祠官，才八岁便已随父亲读诵了许多深奥的佛教经论，十四岁于比叡山受戒出家，十九岁学天台宗教法与密法。后来两度到中国学法，返日后不但建立了第一座日本禅寺圣福寺，创设日本禅宗临济宗，还带回中国的制茶法，被尊为日本的“茶祖”。

大家看到荣西这些显赫的成就，恐怕很难想象他曾经是个自卑的少年。他自幼聪慧过人，却因身材矮小被人嘲笑说：“你虽有辩论的口才，却长得又矮又丑。”当时他大方地以中国身形矮小的宰相晏婴为例自喻，让众人对他从此心服口服。但荣西还是在意自己的身高问题，因此用功修法，希望自己能够长高一点，后来不但如愿，智慧更是高人一等，领先群伦。

小档案 荣西

- 国籍：日本
- 别称：叶上房、千光祖师
- 专长：禅修
- 影响：为日本临济宗始祖，密宗叶上流始祖
- 事迹：写下日本第一部茶书

凉风习习，吹过日本寂静的山间。

一名五十多岁、身形矮小的和尚正带着弟子们，在山坡上奋力掘土。汗流浃背的师徒们，手握着长铲，将泥地挖出一条长沟。

其中一位弟子停下来问：“荣西师父，这样可以了吧？”

荣西禅师点点头，放下铲子，小心翼翼地从口袋里拿出一包东西，慢慢将它打开。

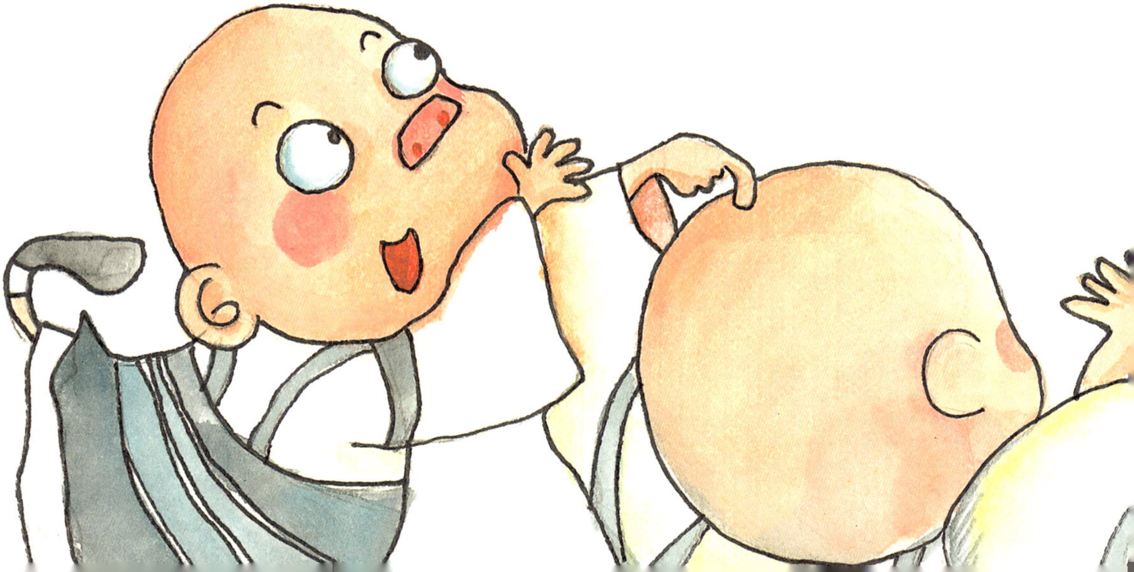

弟子凑过去看说："哇！这一粒粒就是茶树的种子啊！"

弟子伸手想去摸一摸种子，荣西提醒他："小心点，不要撒出来了，这些种子非常珍贵难得，我好不容易才从中国带回来的。"

弟子又好奇地问："师父，您种这些茶树干什么呢？"

荣西禅师说：“我这次去中国留学，除了到天台山学临济[1]禅法外，最大的收获就是把这些茶树种子带回日本。现在南宋除了流行禅法，禅林间更盛行吃茶，中国禅师专门带我去江南的茶园参观，还教我如何栽种茶树、制茶、品茶。”

弟子歪着头，想了一会儿：“为什么禅师吃的是茶，而不是别的呢？”

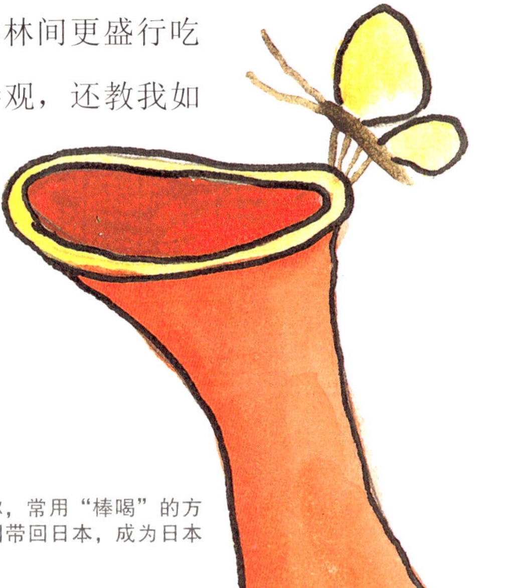

[1] **临济**：临济宗以唐代临济义玄为宗祖，以机锋犀利著称，常用“棒喝”的方式接引学人。十二世纪末，日本荣西禅师将禅法由中国带回日本，成为日本临济宗的开祖。

荣西大笑一声说："你没尝过，所以不懂！"

接着他又对众人解释："茶不但具有帮助消化、提神醒脑的功效，更可以帮助人体会绝妙的禅意，所以我才特地带种子回日本种植。等茶树长成后，你们吃了茶，就能明白它的妙处了。"

弟子们无不露出兴奋的表情说："师父，那我们赶快来种茶吧！"

荣西禅师将手中的种子分给弟子，众人分工合作，将一粒粒中国的茶树种子，种到日本的土地上。虽然日本以前也从中国引进过茶叶，但是并不盛行，这一次荣西禅师从宋朝带回茶树种子，试着栽种。

通过荣西禅师悉心的照顾，不断地灌溉、除草、施肥，种下去的茶树很幸运地全部都存活下来。

这一天，荣西禅师拿着锋利的剪刀，带着弟子来到茶园中，眼前的茶树都长到数公尺高了，荣西举起剪刀往茶树枝上一剪，把弟子吓了一跳：“师父！好不容易才长大的茶树，您怎么能这么无情地剪下去？”

荣西禅师继续剪着：“茶树要维持一定的高度和树形，才方便摘采茶叶，这个道理就跟禅修一样，要先消除烦恼心，才能真正悟道。”

弟子恍然大悟地说：“能将茶和禅结合在一起，师父您真是独一无二的。”

辛苦了大半年，终于有了丰盛的收获，这一晚，寺院飘出一缕独特的茶香，让经过寺院的人们，驻足着不肯离去：“这是什么味道啊？从来没闻过，好清香啊！”

荣西禅师和弟子们正在寺院里，用清澈的泉水冲泡着茶叶，弟子恭恭敬敬地接过师父端给自己的茶碗，饮了一口，久久才吐出一句：“师父，原来这就是茶的滋味啊！”

荣西禅师微笑地点点头，他一想到以后的日本人真的是很幸运，都可以尝到茶的滋味了，心里感到很愉悦。

採茶
揉茶

藏茶
焙茶

荣西一面种茶，一面在日本创立他在中国所学的临济禅。当时的户部侍郎清贯，刚建好一座寺院，特地请荣西前来指导，荣西便开始教导禅法，并制定了禅规。几年后，临济禅法已经形成一股潮流，荣西还受邀到京都说法，没想到却引起一些旧宗派僧徒的嫉妒，还怂恿比叡山❷天台宗❸的僧人，联名写信给天皇，要求禁止禅法。

天皇把荣西禅师找来，问清楚情况："听说你这奇怪邪门儿的临济禅法，破坏了我们日本原有天台宗的传统教法。"

❷ **比叡山**：为日本天台宗山门派的大本山。

❸ **天台宗**：中国六朝时，智顗大师在天台山创立的教派，依据《法华经》而建立的思想体系，所以又称为"法华宗"，为中国八宗之一。

荣西不紧不慢，沉着地应对："临济禅法绝对不是邪门歪道，临济禅法和天台宗一样，都源于中国，如果临济禅法不能成立，那么天台宗又如何能成立呢？"

荣西禅师以他独特的见解，捍卫着临济禅法，不但赢得了天皇的默许，更得到了一些有见识的人认可，临济禅法反而愈加受到欢迎，也让比叡山的僧众们愈加不满，攻击和诋毁的言辞更为激烈，为避免争端，荣西只好转往镰仓，拜见幕府将军源实朝，并得到他的支持，于是，临济禅法在日本关东一带也流传开来。

“师父，您整天埋首案头，在写些什么呢？”送茶来给荣西禅师的弟子，看他最近都很忙碌。

荣西接过茶碗回答：“我正在写《吃茶养生记》，把所有茶与禅理，还有对身体的好处都写下来。”

弟子关心地说：“您不要太累了！对了，听说源实朝将军前两天喝醉酒，躺了两天都醒不过来，府里上上下下都急死了，要您过去帮他诵经祝祷，看能不能醒过来。”

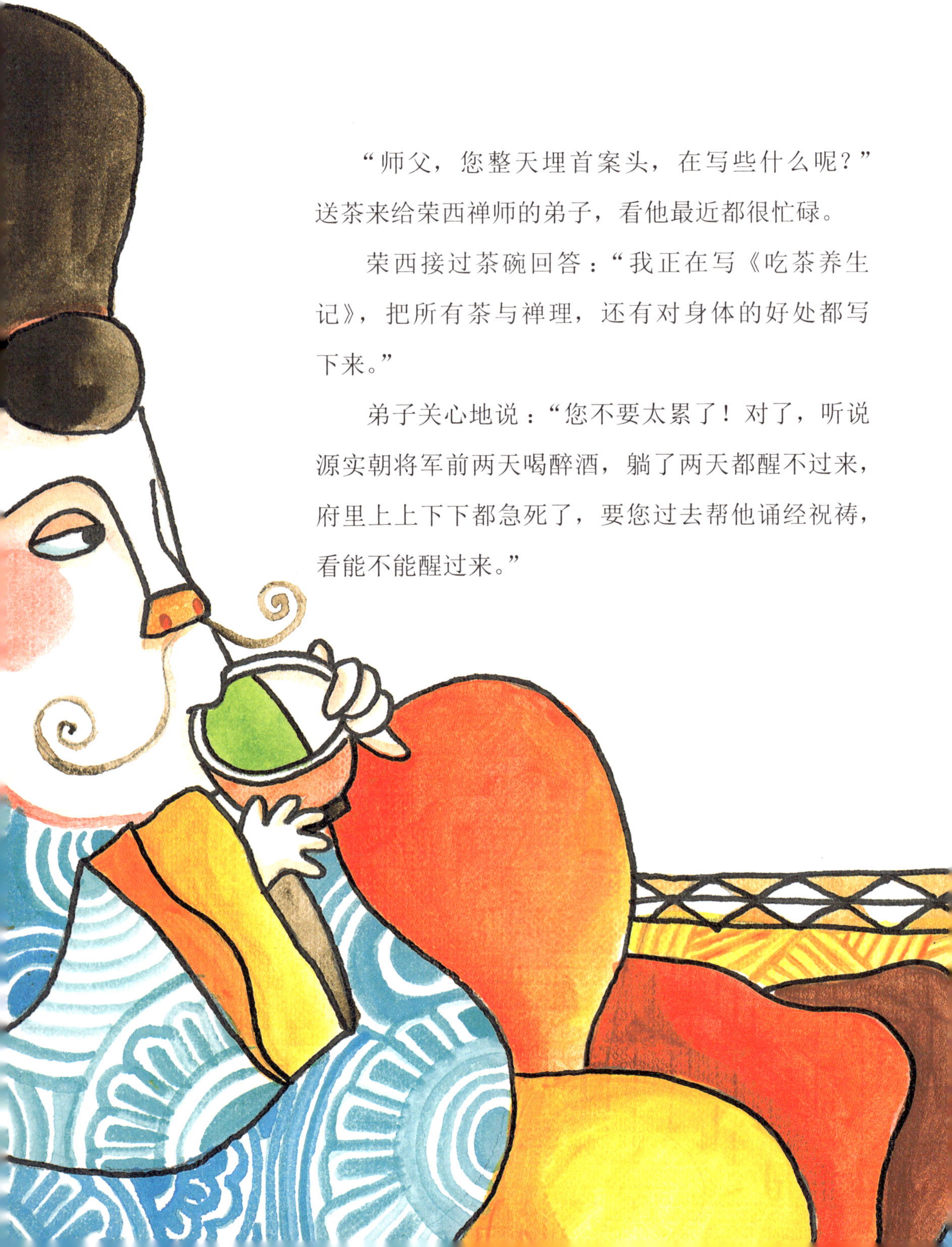

荣西禅师一听，问弟子说：“最近的新茶制好了没有？”

“刚刚制好，师父要尝尝看吗？”

荣西又说：“帮我装上一盒，我要献给源实朝将军。”

弟子依照吩咐装了满满一盒的茶叶，跟着荣西禅师赶去将军府。只见源实朝躺在床上，动也不动。荣西禅师将茶叶拿给一旁的仆人：“快把这茶叶泡给将军喝，它有解醉解渴的功能，一定可以治好将军的宿醉。”

果然，荣西禅师的茶叶治好了源实朝的宿醉，再加上日本第一部茶书《吃茶养生记》的出版，使得饮茶风气更加盛行。荣西禅师不但是建立日本禅宗的第一人，更被尊称为“日本茶祖”。

量一量世界有多大！

大师密码 Universal博闻广见

明朝隐元禅师的父亲在他六岁时，为了家庭生计，被迫前往远地做生意谋生，从此音讯全无。由于家贫，兄弟又多，年纪最小的隐元才读了一年书，就不得不辍学，随着兄长当农夫种田，以求温饱。

虽然家境困苦，隐元却胸怀大志，希望能彻悟宇宙真理，他在十八岁时，加入径江念佛会开始学佛。隐元成年后决心外出寻访父亲，因此机缘来到佛教圣地普陀山，种下日后出家的种子。母亲去世后，隐元不但在黄檗山万福寺出家，还重建了因战乱破败的寺院，为众人所崇敬。

隐元重建黄檗山的盛名传到了日本，他更以六十三岁的高龄被邀请赴日传法。他不只在日本创建黄檗禅宗，还将中国的建筑、艺术、医药、饮食都传入日本，成为一大交流盛事。

小档案 隐元

- 国籍：中国
- 别称：日本佛教黄檗禅宗初祖
- 专长：建筑、雕塑、书法、医药、饮食
- 影响：在日本创建黄檗宗
- 事迹：将中国文化传入日本

繁星满天的夜晚，几个孩子坐卧在巨大的松树下，仰望着星空。

“隐元，你的学问最多，你说月亮上面真的有嫦娥吗？”一名孩子问身旁的少年。

隐元不假思索地回答：“嫦娥奔月是古代的神话，也许不见得真实，不过这无垠的星际，一定藏着宇宙的真理，我想只有神佛能明了吧！”

“那你想知道吗？”

隐元点头说：“当然想啊！我想出家，寻找宇宙的奥秘。”

虽然是孩子之间的稚气对谈，但直到二十岁，隐元都还一直惦记着这个梦想。

这一天，母亲忽然交给隐元一包银子，并跟他说："男大当婚、女大当嫁，虽然你父亲出外谋生，失踪多年，但我还是积存了一笔娶妻的聘金，你就找个好姑娘去提亲吧！"

隐元回绝说："我不结婚，父亲不知道流落何处，我还只顾着自己娶妻，不是太不孝了吗？"

来年，他和母亲商量："我想去找父亲，可以先把娶妻的钱当作路费吗？"

母亲也十分挂念丈夫的去向，便答应了：“好吧！找到父亲后，你也可以成亲了。”

于是，隐元开始他千里寻父的行程，可是找了两年，却没有半点消息，旅途中也顺道跟着进香团一起搭船到了普陀山。

普陀山的观音道场就像是人间仙境般庄严，隐元来了就不想离开，他自愿到潮音洞担任茶头，每天为成千上万的僧众倒茶，一点儿也不嫌累，连住持都称赞他说：“这真是菩萨派来的侍者，每天做这辛苦的差事，却丝毫没有怨言。”

做了两年茶头的隐元已发愿要出家，但他先回家侍奉年事已高的母亲，一面种田砍柴，一面在家修行。等到母亲过世后，二十九岁的他终于在黄檗山出家，了却了多年来的心愿。

此时的黄檗山道场已今非昔比，除了大殿、方丈室和藏经阁外，其余建筑都被日本海盗给毁坏了，为了重建寺院，隐元经常要外出化缘。

他寄宿杭州时，在准备前往京城募款的路上，和刚从京城回来的能仁碰面了，能仁跟他说：“你别去了！北方正在战乱中，明朝眼看就要灭亡了。”

隐元想起前两天听经的一些疑惑，便向能仁请教，得到的答复却是：“过三十年后再跟你说吧！”

隐元非常失望：“只是两句经意，却要我等三十年，才肯给我答案。”

好学的隐元被激发了学习动力，决定四处拜访名师，求得领悟。就这样奔波数年后，隐元的见闻更加广博，后来他又参访著名的密云禅师，请求教导。

密云禅师见到他，故意说："我这里没什么好学的，要走就走，要住就住，要躺就躺，不必多费工夫。"其实是在暗示他，任何时刻只要能自在就是禅，不必刻意强求。

但是隐元听不懂，又问说："蚊子这么多，怎么躺呢？"

密云笑答："你没有手掌吗？"

隐元拜退后，还是百思不得其解："师父的意思是什么呢？"

经过七天七夜的苦思后，他终于明白，禅在生活中无处不在，茶来伸手，饭来张口，蚊子来了就用手掌挥走，只要好好生活，不胡思乱想，就是禅法的真谛。

隐元的领悟，得到密云禅师的认可，他博学多闻的声名也渐渐传播开来了，大家都知道他的禅诗和书法写得非常好，甚至对雕刻、建筑都有独到见解，连茶道和素食料理也很精专。最后还被聘回黄檗山万福寺担任住持，回想求道的过程，隐元特别感谢能仁："如果当初他直接给我答案，也不会有今天的我。"

隐元禅师大举振兴万福寺，不但广收门徒，著书立说，并以一千日为期限，阅览全部的藏经。

由于当时日本禅宗力图改革，便力邀隐元禅师前往日本传法，前后共四次派遣使者来中国邀请他。隐元被对方的诚意感动，他不顾僧众的劝阻，以六十三岁高龄，毅然搭上郑成功的船舰东渡到日本。

在日本宇治市新建成的万福寺里，随隐元禅师一起来日本的雕刻师范道生，正站在刚雕好的一尊尊佛像前，检查每一个细部，看有没有瑕疵。

隐元走过来欣赏一番后说：“范师傅，您的手艺真好，每一尊佛像都栩栩如生，有我中国佛教独特的风格。”

范道生指着周围三十多座大小佛殿说：“哪里！这些典型的中国明朝禅寺风格建筑，能够在日本矗立起来，这是您的功劳。殿堂内外的匾额对联，还都是您和弟子的杰作！”

隐元笑答：“见笑了！”

隐元禅师不忘提醒范道生：“我已经请厨房准备好了普茶料理，还炒了一些我从中国带来种成的四季豆，待会儿鱼板❶一敲，就过来用餐吧！”

范道生开心地说：“在这里还能吃到中国的普茶料理，饭后再来一杯清茶，真是人生一大享受。师父，您能在日本建立传统黄檗的禅法规矩，真是不容易，连日本人都把您带来的四季豆叫‘隐元豆’，可见他们多么敬仰您啊！”

❶ **鱼板**：悬挂于食堂的长廊，具有敲打通知众人用餐的功能。

警策

隐元再度谦虚地说："这都是大家的努力。我只是尽我能做的，把中国的禅法和文化带入日本一起分享，这不就是学佛人该做的事吗？"

这时，传来阵阵敲鱼板的声音，隐元禅师和范道生一起走进食堂用餐。

隐元禅师在日本待了二十年，不但大力整顿日本禅宗戒律，复兴禅法，还将中国的工艺、文化、医术、餐饮、植物带进日本，直到今日依然深受日本人的敬重。